Publicado por Parragon en 2012

Parragon Books Ltd
Queen Street House
4 Queen Street
Bath BA1 1HE, UK

Copyright © 2007 Disney Enterprises, Inc.

Traducción: Marina Bendersky para Equipo de Edición
Edición y maquetación: Equipo de Edición, S. L., Barcelona

Copyright © 2010 Disney Enterprises, Inc.

ISBN 978-1-4454-6328-5

Impreso en China/Printed in China

LA SIRENITA

Adaptado por Amy Edgar

Bath · New York · Singapore · Hong Kong · Cologne · Delhi
Melbourne · Amsterdam · Johannesburg · Auckland · Shenzhen

Fantasías

Bajo el mar, los tritones y las sirenas se apresuraban para llegar al palacio del Rey Tritón. Todos deseaban ocupar un buen asiento para el concierto.

Los habitantes del océano estaban muy atentos
cuando Sebastián, el compositor de la corte, dio
inicio a la música. Seis de las hijas del Rey Tritón
cantaron e hicieron piruetas en el escenario
al compás de la música de la orquesta submarina.

Esa noche, la hija menor de Tritón, Ariel, iba
a cantar su primer solo, pero cuando la ostra gigante
se abrió, Ariel no estaba por ninguna parte.
«¡Ariel!», bramó el Rey Tritón.

No muy lejos, Ariel se había olvidado del concierto. Ella y su amigo Flounder estaban inspeccionando un barco hundido. A Ariel le encantaban las cosas del mundo humano de la superficie.

«¡Es hermoso!», exclamó ella al encontrar un brillante tenedor.

«¡O-o-o-oíste algo?», preguntó Flounder.

«¡No te estarán temblando las aletas, verdad?», se burló Ariel.

Entonces Flounder vio una enorme silueta oscura nadando hacia ellos.

«¡Tiburón!», gritó.

Los dos amigos nadaron lo más deprisa que
pudieron, pero el tiburón les ganaba terreno, así
que Ariel lo atrapó con la argolla de un ancla.
El hambriento tiburón que los seguía quedó atorado.
«¡Toma eso, grandote matón!», se burló Flounder.

Ariel le llevó su nuevo tesoro a Scuttle, la gaviota. «Esto es un cachivache —explicó Scuttle peinando sus plumas con el tenedor—. Los humanos lo usan para alisarse el cabello».

En las profundidades, la Bruja del Mar, Úrsula, espiaba a Ariel mediante su burbuja mágica.

De repente, ¡Ariel se acordó del concierto! Regresó a toda prisa a su casa y encontró al Rey Tritón esperándola, enfadado porque ella había arruinado la fiesta. Pero aún se puso más furioso cuando supo que había subido a la superficie.

«¡Nunca más vuelvas a hacerlo!», le ordenó.

Poco después, el Rey llamó a Sebastián y le dijo: «Ariel necesita supervisión, y tú eres el cangrejo ideal para ocuparte de eso».

Entre tanto, Ariel fantaseaba en su gruta secreta. «¿Cómo puede ser malo un mundo capaz de crear cosas tan maravillosas?», se preguntaba.

El Príncipe

Ariel miró hacia arriba, vio la sombra de un barco por encima de su cabeza y nadó hacia la superficie para observarlo de cerca. A bordo vio un hombre muy apuesto. Los otros humanos lo llamaban Príncipe Eric. «¡Viene un huracán!», gritó un marinero.

Un fuerte viento rasgó las velas del barco. Olas inmensas lo empujaron hacia las afiladas rocas. ¡El Príncipe Eric cayó al mar!

Ariel, con valentía y decisión, fue a rescatarlo, y necesitó de todas sus fuerzas para subirlo a la superficie.

Cuando estuvo a salvo en la orilla, Ariel cantó para el Príncipe, que yacía inconsciente. Por fin, él comenzó a despertar. «Un día formaré parte de tu mundo», le dijo ella deslizándose hacia el agua.

Minutos más tarde, el sirviente del Príncipe, Sir Grimsby, lo encontró. «Una joven me rescató —dijo el Príncipe algo aturdido—. Y tenía la voz más maravillosa que he oído jamás».

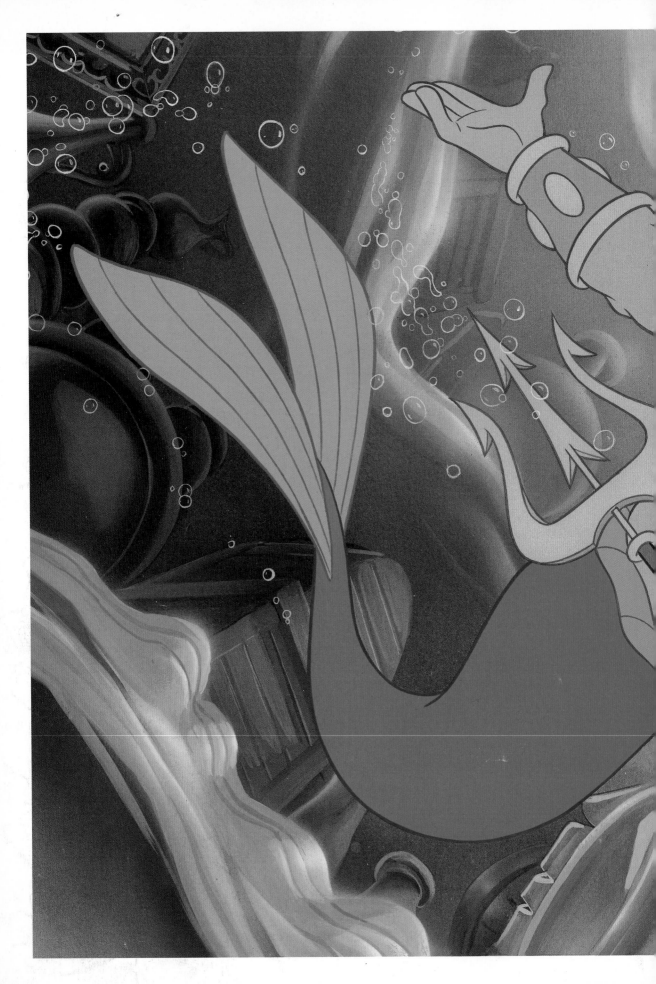

Cuando el Rey Tritón averiguó que Ariel había estado en la superficie otra vez, ¡estalló de ira!

«¡Los humanos son todos iguales! —gritó el Rey Tritón—. ¡Salvajes devoradores de peces, incapaces de sentimientos!». Con unos movimientos de su tridente, el Rey destruyó todos los tesoros de Ariel y partió nadando.

Dos siniestras morenas interrumpieron los sollozos de Ariel. «Nos envió alguien ~~y~~ susurraron ~~~~. Alguien que puede hacer realidad todos tus sueños…».

Las morenas llevaron a Ariel con Úrsula, la Bruja del Mar, que estaba dispuesta a ayudar a Ariel… ¡pero a cambio de su voz!

«Pero el Príncipe debe enamorarse de ti y besarte antes del atardecer del tercer día», agregó Úrsula. Si eso no sucedía, ¡Ariel volvería a convertirse en sirena y sería esclava de Úrsula para siempre!

El océano se agitó cuando Úrsula capturó la voz de Ariel en una caracola mágica y transformó su cola en un par de piernas.

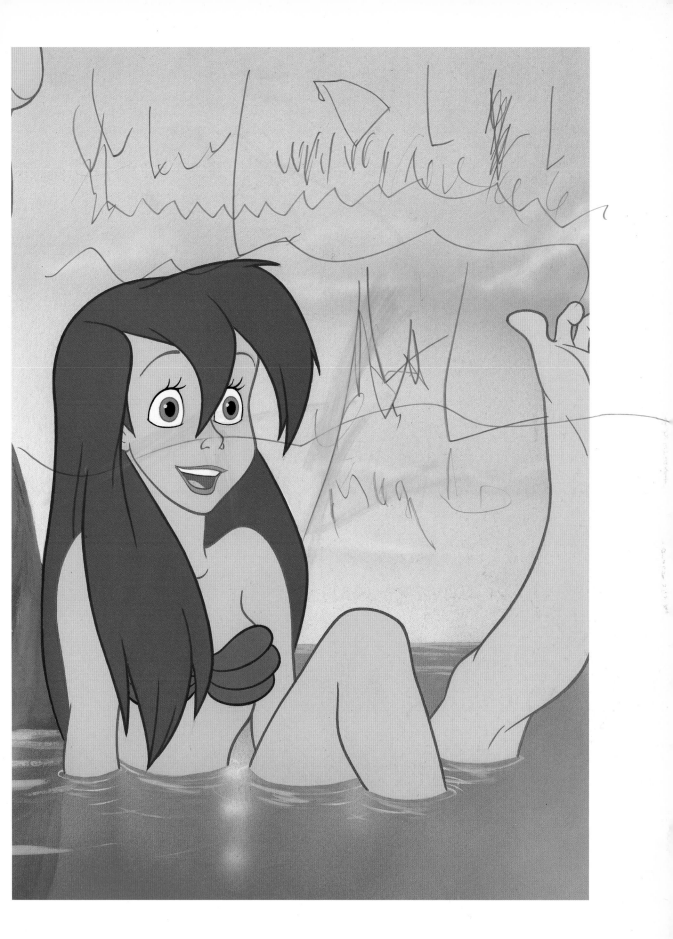

El Príncipe Eric y su perro Max encontraron a Ariel en la playa. «Me resultas muy familiar —dijo Eric—. ¿Nos conocemos?». Ariel solo pudo asentir.

«No te preocupes, te ayudaré», sonrió él. Aunque se parecía a la jovencita que lo había rescatado, Eric no creía que fuera ella. Ariel no podía hablar, así que mucho menos podría cantar.

Esa noche, Ariel apareció en la sala a la hora de la cena luciendo un bonito vestido. Ante la sorpresa del Príncipe, Ariel tomó un tenedor y comenzó a peinarse, tal como Scuttle le había enseñado.

Bajo las aguas, el Rey Tritón estaba muy preocupado porque no sabía dónde estaba Ariel. «¡No dejen ni un caracol sin remover hasta que Ariel esté a salvo en casa!», ordenó a sus sirvientes.

Mientras, Ariel y Eric estaban remando felices en una laguna. Justo cuando estaban a punto de besarse, ¡las morenas de Úrsula voltearon el bote!

El plan de Úrsula

Úrsula ideó un plan para evitar que Eric se enamorase de Ariel. Se convirtió en una linda joven llamada Vanessa y tomó la caracola que contenía la voz de Ariel.

Esa noche, el Príncipe oyó un bonito canto.
¡Era la voz de la chica que lo había rescatado!
Eric salió, vio a Vanessa y cayó víctima de su
malvado hechizo.

Cuando, a la mañana siguiente, Ariel despertó, vio a Eric con Vanessa. «El navío nupcial partirá este atardecer», le dijo el Príncipe a Grimsby.

¡Ariel había perdido la oportunidad de quedarse con su verdadero amor, y además estaba condenada a ser la esclava de Úrsula por siempre!

A bordo del barco nupcial, Vanessa reía a carcajadas. «¡La hija de Tritón será mía!».

Observando por la portilla, Scuttle vio que en el espejo donde se miraba Vanessa se reflejaba la imagen de Úrsula y voló a contárselo a Ariel. «¡El Príncipe se casará con la Bruja del Mar disfrazada!», exclamó.

«¡Encuentra una forma de detener esa boda!»,
le chilló Sebastián a Scuttle mientras todos partían
a rescatar a Eric. Flounder ayudó a Ariel a llegar al
barco, pero el sol comenzaba a ponerse. ¡No quedaba
mucho tiempo!

Scuttle y sus amigos hicieron todo lo que pudieron por interrumpir la boda.

«Ya verás, pequeñajo…», gritó Vanessa intentando defenderse.

En medio de la confusión, justo cuando Ariel subía al barco, la caracola mágica se cayó al suelo.

«¿Eric?», dijo Ariel.

«¡Hablas! —exclamó el Príncipe—. ¡Eres tú! ¡Has sido tú todo el tiempo!».

El Príncipe se inclinó para besar a Ariel, pero segundos antes de que sus labios de unieran el sol se puso.

«¡Llegaste tarde!», gritó Úrsula, recuperando su forma habitual. Ariel vio cómo sus piernas volvían a convertirse en una cola de sirena.

«No es a ti a quien quiero —le dijo Úrsula a Ariel,
tirando de ella hacia las profundidades—. Quiero un
pez mucho más grande para freír».

Cuando dijo esas palabras, apareció el Rey Tritón.

Úrsula le contó el trato que había hecho con Ariel.
Para recuperar la libertad de su hija, el Rey accedió
a quedarse en su lugar como esclavo de la Bruja.

«¡Al fin es mía!», rió Úrsula poniéndose la corona de Tritón. Con sus nuevos poderes, Úrsula creció y creció hasta convertirse en un ser enorme y monstruoso. «¡Ahora soy yo la reina de todos los océanos!».

Pero el valiente Príncipe, al timón de su barco, puso rumbo directo hacia Úrsula a través de las furiosas olas y le clavó la proa del navío en su frío corazón. Poco a poco, el horrible cuerpo de Úrsula se hundió entre las olas.

Al instante, las aguas se calmaron y el Rey Tritón recobró su poder. Como se había dado cuenta del amor que Ariel y Eric se tenían, volvió a convertir la cola de Ariel en un par de piernas.

«Te amo, Papi», le dijo Ariel abrazándolo. Él sabía bien cuánto la iba a extrañar.

Y todos los tritones y sirenas, junto a otras criaturas del mar, se reunieron para participar en la boda de la feliz pareja. Todos aplaudieron cuando Eric besó a su nueva Princesa. Luego, ellos partieron dispuestos a vivir felices por siempre.

Fin